燕子初来语更新

辛夷才谢小桃发

春江水暖鸭先知

讲给孩子的四季故事

春

刘兴诗 / 文　白鳍豚文化 / 绘

长江出版传媒 | 长江少年儿童出版社

鄂新登字 04 号
图书在版编目（CIP）数据
讲给孩子的四季故事．春 / 刘兴诗著 ； 白鳍豚文化绘． — 武汉 ： 长江少年儿童出版社， 2020.6
ISBN 978-7-5721-0468-8
Ⅰ．①讲… Ⅱ．①刘… ②白… Ⅲ．①春季—青少年读物 Ⅳ．①P193-49
中国版本图书馆 CIP 数据核字（2020）第 053178 号

讲给孩子的四季故事·春

刘兴诗 / 文　白鳍豚文化 / 绘
出品人：何龙
策划：胡星　责任编辑：胡星 郭心怡　营销编辑：唐靓
美术设计：白鳍豚童书工作室 彭瑾 徐晟 杨鑫　插图绘制：白鳍豚童书工作室 胡思琪 徐明晶 赵聪
卷首语：崔艺潇
出版发行：长江少年儿童出版社
网址：www.cjcpg.com　邮箱：cjcpg_cp@163.com
印刷：湖北新华印务有限公司　经销：新华书店湖北发行所
开本：16 开　印张：2.75　规格：889 毫米 ×1194 毫米　印数：10001-16000 册
印次：2020 年 6 月第 1 版，2021 年 1 月第 2 次印刷　书号：ISBN 978-7-5721-0468-8
定价：32.00 元

春天，

是一道靓丽的彩虹，
连接起崭新的热情和希望。

赤色是清晨初升的红日，点亮了新鲜耀眼的时光；

橙色是竞相开放的金盏，露出了芬芳四溢的笑颜；

黄色是歌唱生命的黄鹂，唤起了迎春羞涩的目光；

绿色是迎风摇曳的翠柳，舞出了心中跃动的期盼；

青色是涓涓流淌的细流，奏响了轻松欢快的旋律；

蓝色是万里无云的晴空，收藏着孩子童真的欢笑；

紫色是天边飘逸的晚霞，铺开了缤纷绚烂的画卷。

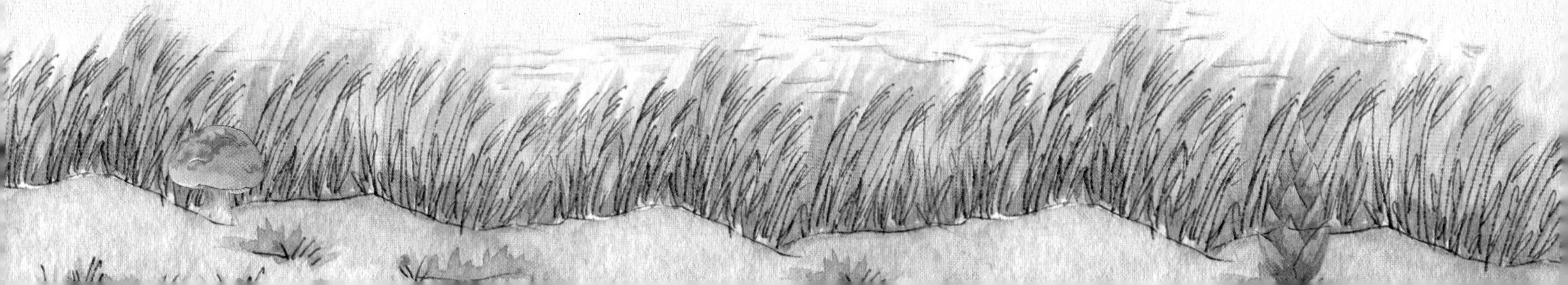

2月的节日

2月2日　世界湿地日

2月4日　立春（这日前后）／世界癌症日

2月10日　国际气象节

2月14日　西方情人节

2月19日　雨水（这日前后）

2月21日　反对殖民主义斗争日

2月24日　第三世界青年日

2月最后一天　世界居住条件调查日

春天来了，柳树苏醒了。漫长的冬天里，柳树的枝条都是光秃秃的，一阵春风吹过，它们很快长出了嫩绿柔软的新叶，随风舞蹈，好像在向人们传递美妙春天来临的信号。

一年之计在于春，春天是孕育和生长的时节，农民伯伯开始了一年的辛勤农作。这时候，万物复苏，希望萌芽，崭新的一年开始了。

2月

关于 2 月

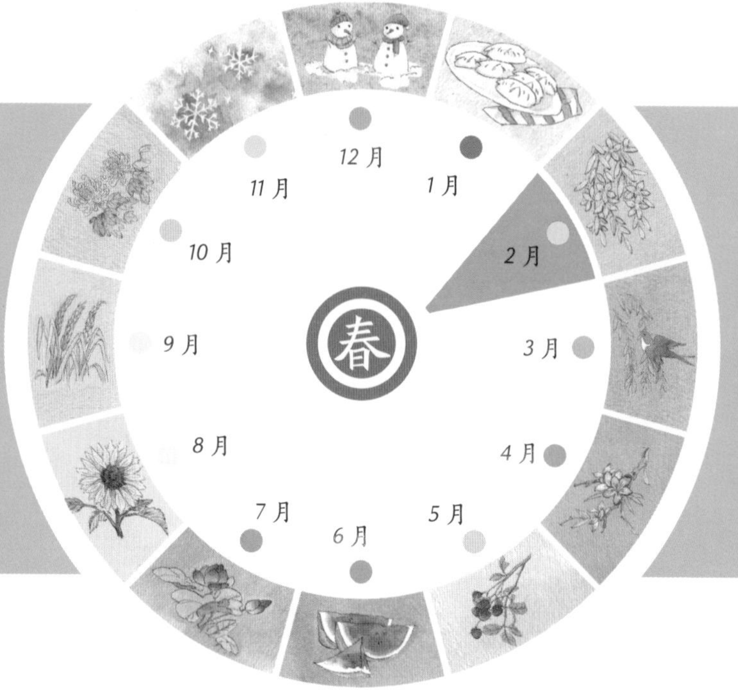

2 月是北半球春季的第一个月，公历年中的第二个月。平年的 2 月有 28 天，闰年的 2 月有 29 天，历史上的 2 月有三次出现 30 天。2 月有立春和雨水两个节气，正是寒冬褪去、大地春回的时节。这时候，天气还有些寒凉，降水慢慢增多，万物开始告别寒冬的萧索，迎来新的生机。所谓“春雨贵如油”，在“润物细无声”的春雨中，冬小麦、油菜开始返青，大地渐渐呈现欣欣向荣的景象。

『地球公转与气候变化』

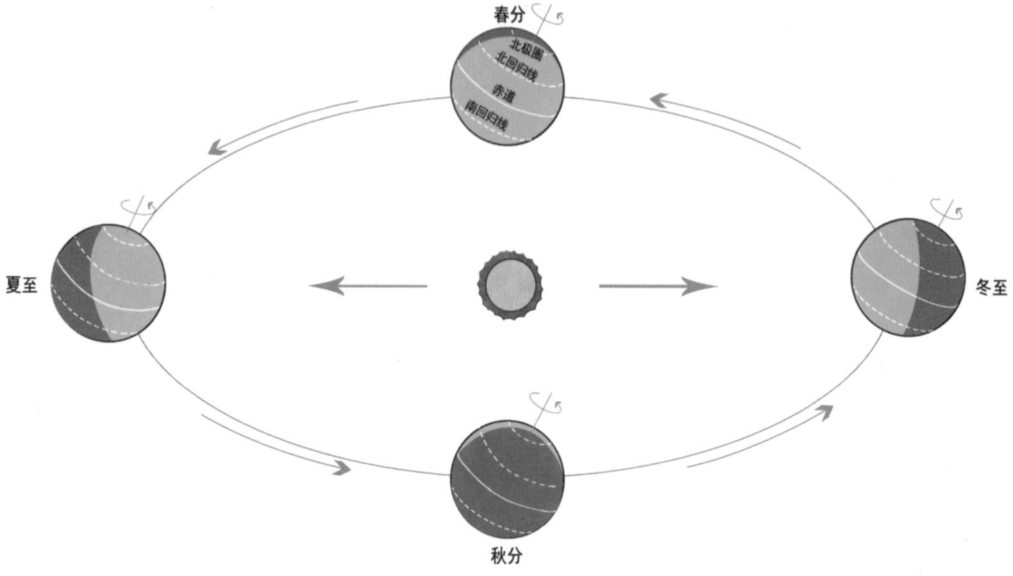

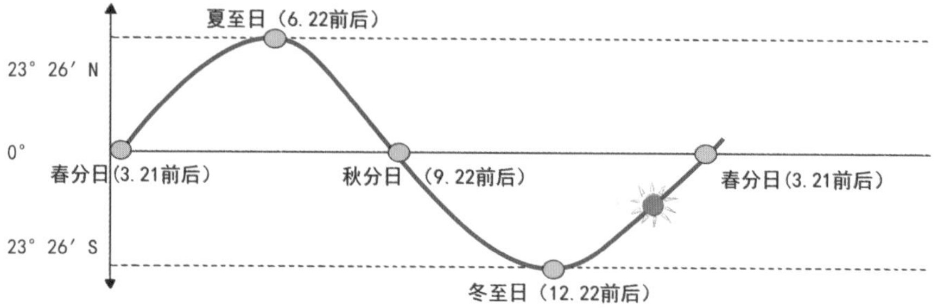

2 月是早春。立春标志着春天开始，这时太阳运行到黄经 315° 。立春后，太阳直射点逐渐北移，天气慢慢暖和起来。雨水则意味着北半球进入气象意义的春天，这时太阳运行到黄经 330° ，大地气温回升，降水也开始增多。

『诗词赏析』

冬老人走了，春姑娘来了。

尽管这时候原野上的一阵阵风吹来，还带着一些寒意，但一年一度的春天已经从原野里悄悄回来。

没有听说过“春寒料峭”“早春二月”吗？

是呀！大清早起来的人们会觉得，在这还有一些寒气的时候，真的可以瞧见春天的脚步了。

这时候的春天到底是什么样子？

请看唐代大诗人白居易的一首诗吧。

赋得古原草送别

离离原上草，一岁一枯荣。
野火烧不尽，春风吹又生。
远芳侵古道，晴翠接荒城。
又送王孙去，萋萋满别情。

春风，是让万物重现活力的灵丹妙药。年年岁岁苍翠又枯萎的青草，在春风的抚摸下再度焕发勃勃生机。芳草的馨香随风弥漫，在阳光的照耀下，一片碧绿将荒城装点得分外好看。而游子心中的思念也像这茂盛的青草一样，蔓延生长，延绵不绝。

『谚语』

一年之计在于春

春在一年四季中占据重要地位，全年的计划要在春天就考虑安排。只有在春天辛勤劳动才能获得丰收。

春雨贵如油

初春时节，我国北方地区降雨稀少，而越冬作物需要大量水分，因此春雨显得比油还珍贵，对农事活动有非常重要的作用。

误了一年春，三年理不清

农事活动要按照季节规律进行。农民要抓住春天适时播种的大好时机，倘若延误了春天播种，那么秋收就会遭受较大损失。

植物笔记

『山茶』

山茶植株形姿优美，叶片浓绿而有光泽，花冠艳丽缤纷，是世界园艺界的珍品。你看，山茶花朵颜色鲜艳又娇嫩，红的张扬活泼，白的清冷低调，粉的温和柔美，都争先恐后地展示着曼妙的身姿；层层叠叠的花瓣围绕着娇嫩的花蕊，像一张张快乐的笑脸，让早春的大地热闹起来。

别　　名：茶花、山茶花
分　　类：山茶科。常绿灌木或小乔木
花　　期：一般在冬春季
应用价值：可供观赏及药用

『马铃薯』

马铃薯是人类重要的主食之一，能为人体提供丰富的热量、蛋白质、氨基酸和维生素，特别是其所含的维生素种类是所有粮食作物中最全的。马铃薯产量高，对环境的适应能力也很强，与小麦、稻谷、玉米、高粱并称为世界五大粮食作物。它们的生长发育是呈周期性的，果实呈块茎状。在我国很多地方，春季是种植马铃薯的最佳时期，等地上的植株停止生长时，收获块茎的时刻就到来了。

别　　名：土豆、洋芋、地蛋
分　　类：茄科。多年生草本
原 产 地：南美洲安第斯山区
应用价值：粮食作物

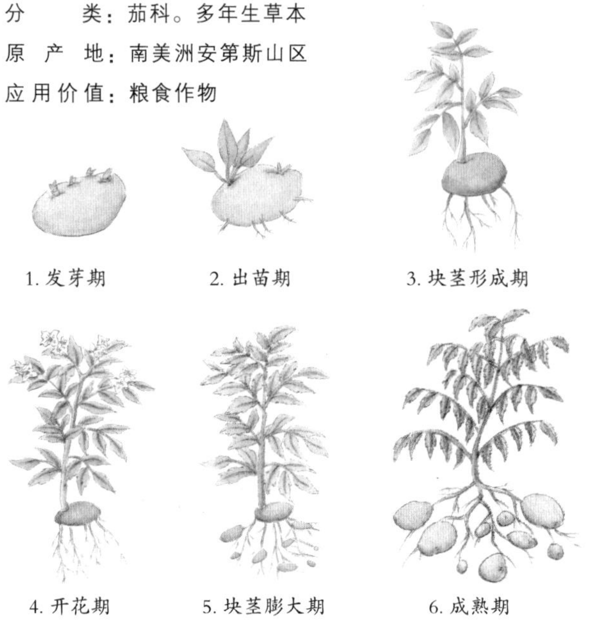

动物笔记

『燕子』

“小燕子，穿花衣，年年春天来这里……”

燕子，是春的信使。它们体形虽小，却擅长穿梭在空中捕捉蚊子、苍蝇等害虫，是人类的好朋友。它们穿着乌黑光亮的外衣，小小的眼睛炯炯有神，再加上剪刀似的尾巴，真是俊俏又神气。燕子喜欢在树洞中营巢，也常常衔来树枝和新鲜的泥土，在房檐、屋顶等地方筑巢。看呀，屋檐下的小窝里，一只只小燕子正伸出脑袋，叽叽喳喳地叫着，等待妈妈带着小虫子回家呢！

分　　类：鸟纲，燕科
体　　长：一般为 13 ~ 18 厘米
繁 殖 期：一般在 4–7 月
分布区域：主要分布在亚洲、欧洲、非洲和美洲

『兔子』

分　　类：哺乳纲，兔科
体　　型：大型兔（5 ~ 8kg）、中型兔（2 ~ 4kg）和小型兔（2kg 以下）
分布区域：各大洲均有分布（南极洲除外）
繁 殖 期：一年四季均可交配繁殖

安哥拉兔

英国垂耳兔

西施兔

蝴蝶兔

兔子是一种常见的哺乳动物，长着长长的耳朵和矫健有力的后腿，蹦蹦跳跳真可爱。它们还有一身厚厚的皮毛，那可是抵御寒冷的有效武器。兔子嗅觉敏锐，胆子却很小，很容易受到惊吓。你瞧，小兔子动起来时像一个活泼的小孩，静下来时又像一团茸茸的毛球，真有趣呀！

天气·习俗·节日

回南天

“回南天”是我国华南地区的天气返潮现象。每年春季二三月份，华南地区的冷空气消散后，暖湿气流迅速反攻，使得气温回升，空气湿度加大，暖湿空气碰到一些低温的物体后容易凝结成水珠。这时候，一些物品或食物很容易受潮而产生霉变，因此有必要采取防潮措施。

剃龙头

农历二月初二被称作“龙抬头”，是中国民间传统节日。民间认为龙是和风化雨的主宰，而“龙抬头”则意味着冬眠结束，万物复苏。龙抬头也是我国古代农耕文化对节令的反映，标志着气温回升、雨水增多，春耕由此开始。人们习惯在这一天剃头理发。“剃龙头”，寓意红运当头，寄托生活的美好希望。

元宵节

元宵节在农历正月十五日，是阖家团圆、其乐融融的好日子。这一天，家家户户都会赏花灯、猜灯谜、吃元宵，共庆佳节。元宵又叫汤圆，是用糯米粉做成的球状食品，象征团圆美满。汤圆有各种各样的馅，咬上一口，那香甜的汁液真是让人回味无穷！

漫画故事会

『元宵节的传说』

①传说中，神鸟降落人间，意外被人射中。天帝得知此事后震怒，就下令让天兵在农历正月十五那天到人间放火，烧死人间的所有活物，以示惩罚。

②天帝的女儿心地善良，不忍看到百姓无辜受难，就冒着危险偷偷来到人间，把这个消息告诉了众人。百姓得知这个消息后，都十分惊慌。

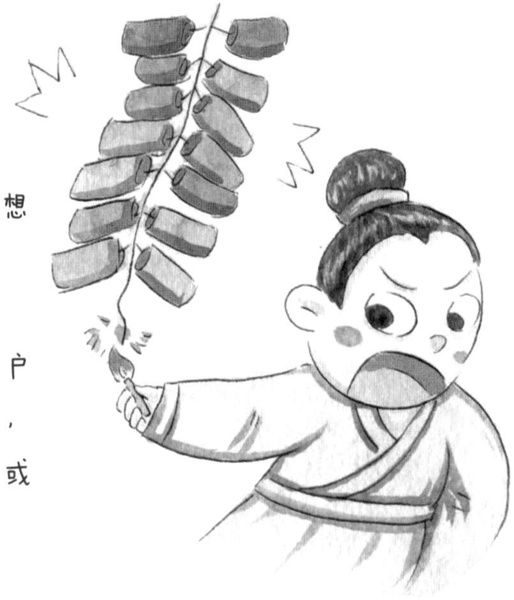

③后来，有位老人家想出了一个办法，他说："在正月十四、十五、十六这三天，每家每户都张灯结彩，点爆竹，放烟火。这么一来，或许可以逃过一劫。"

④众人没有其他办法，只得照做。到了正月十五晚上，天帝看到人间一片红光，响声震天，连续三个夜晚都是如此，还以为那是大火燃烧的火焰，便没有继续放火。百姓因此保住了自己的生命和财产。

环保行动派

『世界湿地日』

湿地是“地球之肾”，孕育和丰富了地球的生物多样性，与森林、海洋并称为地球的三大生态系统。然而，当今全球的许多湿地长期处于保护空缺的状态，生态环境遭到严重破坏。湿地国际联盟组织将每年的 2 月 2 日定为世界湿地日，以提高公众对湿地价值和效益的认识,从而更好地保护地球上的湿地。

『湿地有哪些作用』

湿地像海绵

湿地像过滤器

湿地像净化器

湿地的作用可大啦。湿地像海绵，能蓄水、调节地下水，维持区域水平衡；湿地像过滤器，沼泽湿地能减缓水的流速，帮助沉淀和排除水中的毒物和杂质；湿地像净化器，能吸收二氧化碳，释放氧气，减缓温室效应，调节区域小气候。湿地还是动物们的栖息地。湿地如此重要，保护湿地刻不容缓！

朱鹮

静静的山林边，浅浅的一汪水沼里，有一只孤独的大鸟在漫步。它有着雪白的身子，额头和脸颊露出鲜红的皮肤，像一位高洁的隐士，不慌不忙地迈着步子。这就是稀有的保护动物朱鹮。朱鹮喜欢在高大的树上休息，在溪流、沼泽等湿地环境地带觅食水生动物。但是，由于栖息地被大面积破坏，野生朱鹮的生存空间不断收缩，处于濒临灭绝的困境。快快行动起来，保护朱鹮和它们的家园吧！

如何保护湿地

建立湿地保护区

恢复已退化的湿地

合理利用湿地

种植保水植物

保护生物多样性

保护水源免受污染

3月的节日

3月3日 世界野生动植物日

3月5日 中国青年志愿者服务日

3月6日 惊蛰（这日前后）

3月8日 国际劳动妇女节

3月12日 中国植树节

3月15日 国际消费者权益日

3月21日 世界森林日／世界睡眠日／世界儿歌日

3月22日 世界水日

3月23日 世界气象日／春分（这日前后）

3月

春风是一位神奇的化妆师，轻轻一吹，就吹化了残雪，还染红了桃花的腮，染白了梨花的脸，染黄了迎春花的发辫，再加上紫红色的紫云英、碧绿的秧苗……五彩斑斓的春景图就这样诞生了。瞧，田野里的油菜花开了，闪烁着一片金黄。不远处，孩子们在春光下奔跑玩耍，把快乐的笑声融进暖暖的春风里。

关于 3 月

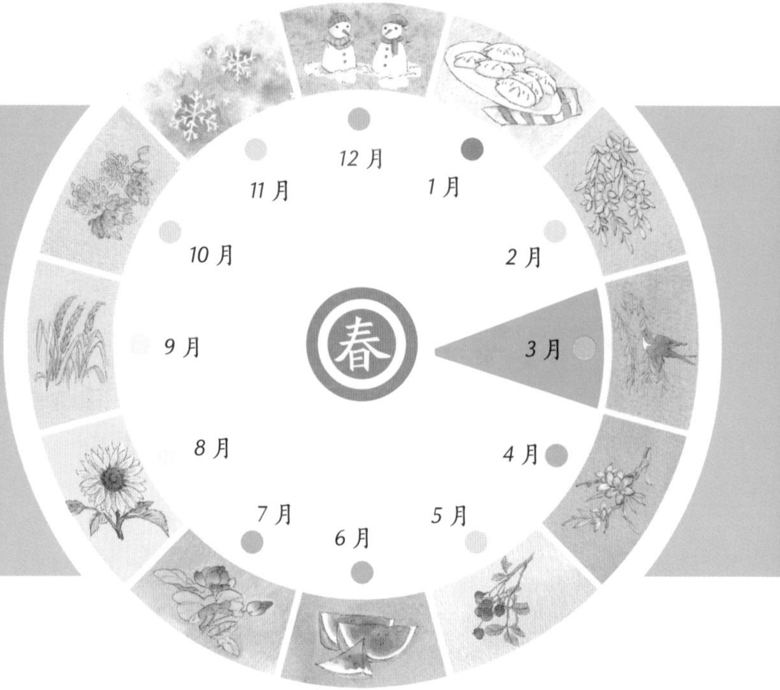

3 月是北半球春季的第二个月，公历年中的第三个月，属于大月，共有31天。3月有惊蛰和春分两个节气，是草长莺飞、百花争艳、万物蓬勃生长的时节。这时候，太阳直射的位置一天天向北移动，我国大部分地区的天气越来越暖和，十分适合农作物的生长，正是春耕备耕和春季田间管理的好时机。农民正抓住晴好的天气，开始在田间忙碌起来了。

『地球公转与气候变化』

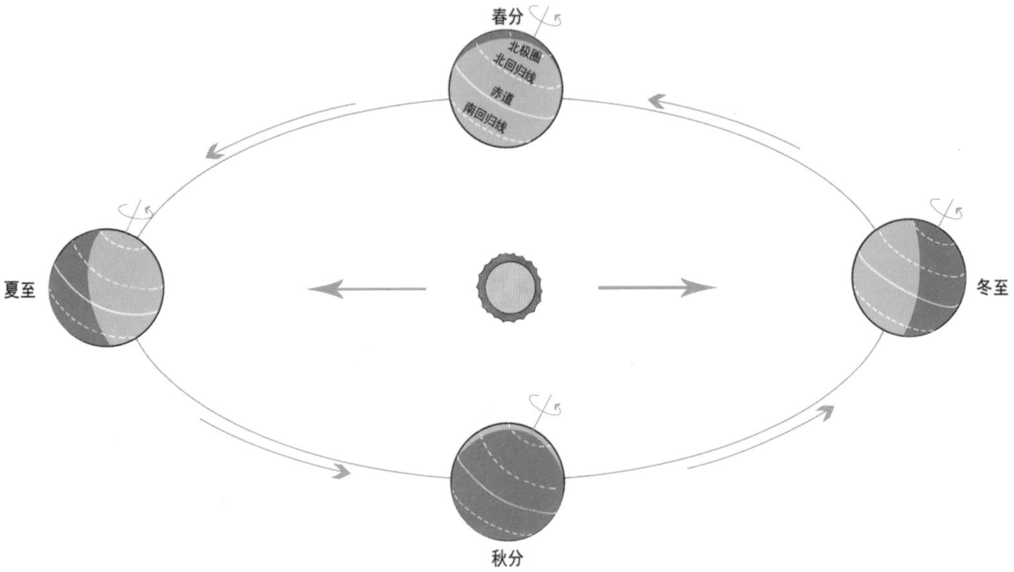

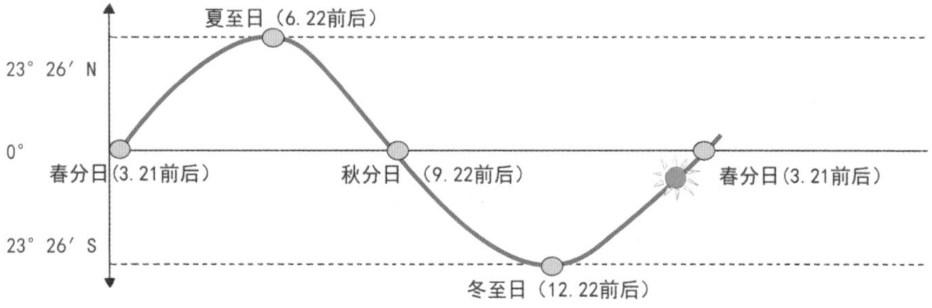

3 月是暖春。根据我国古代的划分，惊蛰是“三春”中仲春时节的开始，寓意春雷惊醒蛰居的动物，这一天太阳运行到黄经 345° 。到春分时，太阳运行到黄经 0° ，直射地球赤道，南北两个半球的昼夜时间都是等长的。

『诗词赏析』

美好的暖春时节，百花盛开，天清气朗。

人们外出踏青，被柔和的太阳温暖着，欣赏着万紫千红的美景，思绪也随着清风和阳光慢慢飘散。

这个时候，到哪儿寻找最美妙的春天消息？到最美最美的江南去吧！那里杂花生树、群莺乱飞，那里杏花遍地、细雨润泽，那里有香喷喷的春天气息。

这时候的江南到底是什么样子？

请看唐代诗人白居易写的一首词。

忆江南

江南好，风景旧曾谙。
日出江花红胜火，
春来江水绿如蓝。
能不忆江南？

美丽的江南美景，寄托了多少思念哪。春天一到，太阳从江面升起，把江边的鲜花照得比火还红，碧绿的江水绿得胜过蓝草。

噢，谁不怀念这个时刻、这个地方？谁不深深回忆如梦如幻的江南？这样的春光，永永远远难忘。

『谚语』

惊蛰一犁土，春分地气通

3月气温回升，土壤解冻，在这时春耕锄地，开犁松土，有助于农作物的生长。

春雷响，万物长

春雷始鸣，惊醒了蛰伏于地下冬眠的动物，万物都开始蓬勃生长起来。

春分秋分，昼夜平分

春分和秋分时节，太阳直射地球赤道，南北半球昼夜平分，白天和夜晚的时间几乎等长。

植物笔记

『油菜』

春天一到，金灿灿的油菜花成了田野里最靓丽的风景。瞧，大片的油菜花连在一起，汇成了金光熠熠的海洋。油菜花的4枚花瓣，呈十字形围绕着中心的花蕊，好像在窃窃私语。油菜花开放时，浓郁的花香令人陶醉，还吸引了许多蜜蜂和蝴蝶在四周飞舞呢！油菜不仅开出的花好看，它结出的种子还能用来榨油，是重要的油料作物。

别　　名：芸薹
分　　类：十字花科。一年生或越年生草本
花　　期：通常在1-3月
应用价值：油料作物及蜜源作物

别　　名：粉色桃
分　　类：蔷薇科。落叶小乔木
花　　期：通常在3-4月
植株高度：一般在3～8米

『桃树』

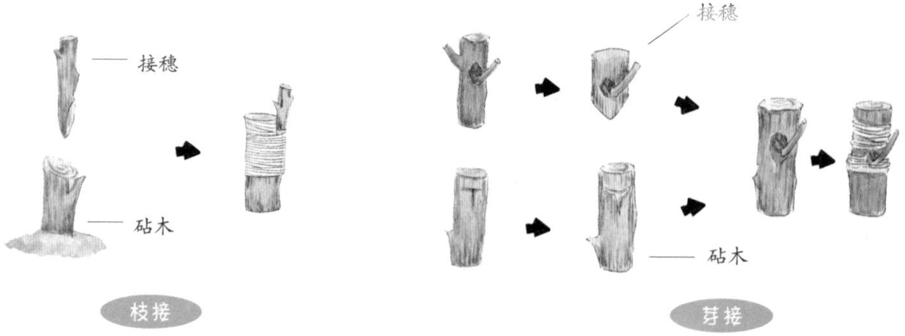

阳春三月，粉嫩的桃花在春风的吹拂下开放了，远远望去，仿佛一片灿烂的云霞。桃花有很高的观赏价值，桃树也是中国传统的园林花木。桃树浑身是宝，它的果实桃子是香甜可口的水果，果核可以用来榨油，枝、叶、果、根都能入药，桃木还能被用来雕刻成工艺品呢。

动物笔记

『黄鹂』

黄鹂是春天的歌者，它歌唱春天，歌颂生命。它们成群结队地在树枝间跳跃，清脆婉转地唱着歌。黄鹂喜欢在树上活动，捕食树林中的有害昆虫，也吃一些果实和种子。它们长着鲜艳的羽毛和尖细的嘴，圆圆的小眼睛又黑又亮。黄鹂的叫声可好听啦。它们喜欢隐藏在树叶丛中鸣叫，还能变换腔调和模仿其他鸟的叫声，是名副其实的“森林歌唱家”。

别　　名：黄莺、黄鸟
分　　类：鸟纲，黄鹂科
体　　长：约 25 厘米
分布区域：夏季分布于中国和日本，冬迁马来西亚、印度和斯里兰卡等地

分　　类：昆虫纲，膜翅目，蜜蜂科
蜂群构成：蜂王、雄蜂、工蜂
分布区域：各大洲均有分布（南极洲除外）
繁 殖 期：春季时繁殖速度最快

『蜜蜂』

蜜蜂是人类的好朋友。它们不仅可以传授花粉，还能采集花蜜，帮助人们酿造香甜的蜂蜜。它们常常飞到离“家”几千米远的地方采集花蜜，勤勤恳恳，被人们称为“辛勤的园丁”。小蜜蜂们之间交流信息的方式也很独特，它们有时跳起舞，有时从体内释放外激素，有时还会通过翅膀振动的声音向小伙伴们传递信号呢！

天气·习俗·节日

春旱

在我国北方，春季降水量稀少，容易引发干旱。因为没有充足的水灌溉农田，田地就裂出了大大的口子，很多农作物都渴望着雨水的滋润。另外，春季气温回升得快，土地中的水分快速蒸发，但这时能带来雨水的夏季风还没有吹过来，真是让农民伯伯发愁呀。

春分竖蛋

春分是一年中的第四个节气，民间流传着“春分到，蛋儿俏”的说法。人们喜欢在春分这一天选择一个光滑匀称的新鲜鸡蛋，轻轻地把它竖立在平面上（鸡蛋大头朝下）。“春分竖蛋”是一个古老的游戏，包含着人们庆祝春天到来、祈盼好运的心情。

上巳节

“又是一年三月三，风筝飞满天……”农历三月初三是上巳节，是中国民间传统节日。古时候的人们会在这一天结伴去水边沐浴，后来又逐渐增加了祭祀宴饮、曲水流觞等内容，寄托着他们祈求健康平安、人丁兴旺的心愿。现在，人们依旧喜欢在这一天外出踏青，感受春天的魅力，许下美好的愿景。

漫画故事会

『曲水流觞的故事』

1 东晋永和九年的三月初三，大书法家王羲之邀请了谢安等一众好友前往兰亭（今浙江省绍兴市郊）雅聚，行饮酒赋诗的“曲水流觞”活动，成为千古佳话。

2 他们在小溪旁席地而坐，将装满美酒的酒杯放入溪中，由上游浮水徐徐而下，经过弯弯曲曲的溪流，酒杯在谁的面前停下，谁就得即兴赋诗并饮酒。

3 随后，王羲之的儿子王献之将大家的诗稿收集起来，呈送给父亲。谢安提议将这次作诗的众多成果集成《兰亭集》，为聚会留下纪念。

4 大家都举手赞成，又一致推举东道主王羲之为诗集写一篇序文。王羲之借着酒意诗性摊开了蚕茧纸，写下了著名的《兰亭集序》：“永和九年，岁在癸丑，暮春之初，会于会稽山阴之兰亭……”

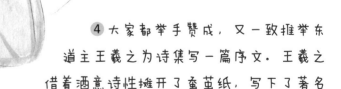

环保行动派

『世界水日』

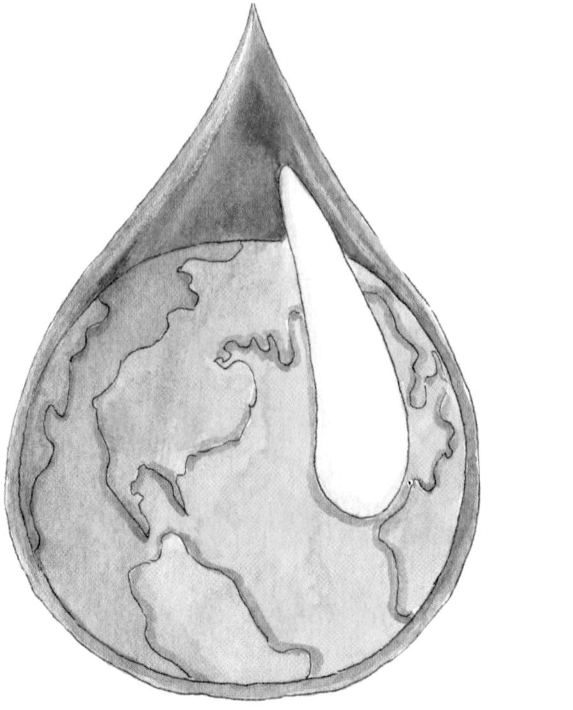

1993 年，第 47 届联合国大会将往后每年的 3 月 22 日定为世界水日，目的是唤起人们的节水意识，加强水资源保护。水是地球上一切生命赖以生存的基础，也是一切社会活动不可缺少和不可替代的重要资源。但是，当今社会的人口增长、工农业生产活动和城市化加快发展，对有限的水资源和水环境产生了巨大冲击。让我们一起行动起来，节约用水，保护地球上珍贵的水资源。

『地球上有多少水』

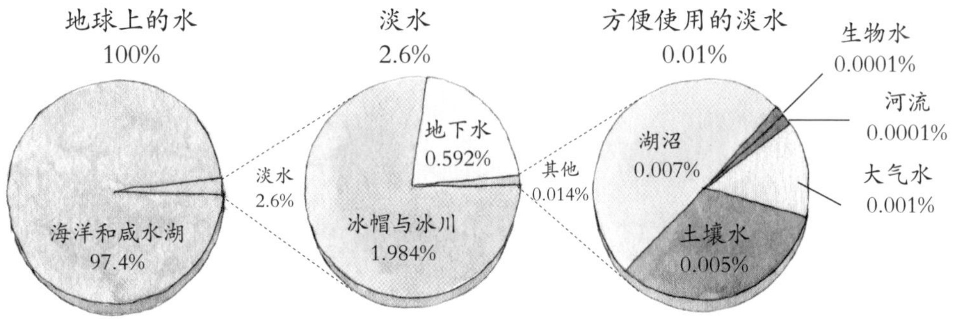

虽然地球上“三分陆地七分水”，储水量十分丰富，共有约 14 亿立方千米，但是其中海水占 97.4%，陆地淡水仅占 2.6%，而且淡水中的绝大部分被冻结在南极冰原和北极冰山中。地球上真正能供人类直接利用的淡水极少，比如与人类生活最密切的河流、淡水湖和浅层地下水等淡水仅占淡水总储量的 0.01%。随着人口的增长和经济的发展，人类对水的需求增长越来越快，许多国家和地区陷入缺水困境。

『水污染』

水污染主要是由人类活动产生的污染物造成的，可以分为工业污染源、农业污染源和生活污染源三大部分。水资源受到污染，不仅会危害水生生物的生命，还会影响饮用水源，引发人体疾病。此外，被污染的水体还会产生难闻的有害气体，破坏生态环境。水污染被称为“世界头号杀手”。

水体污染的主要来源

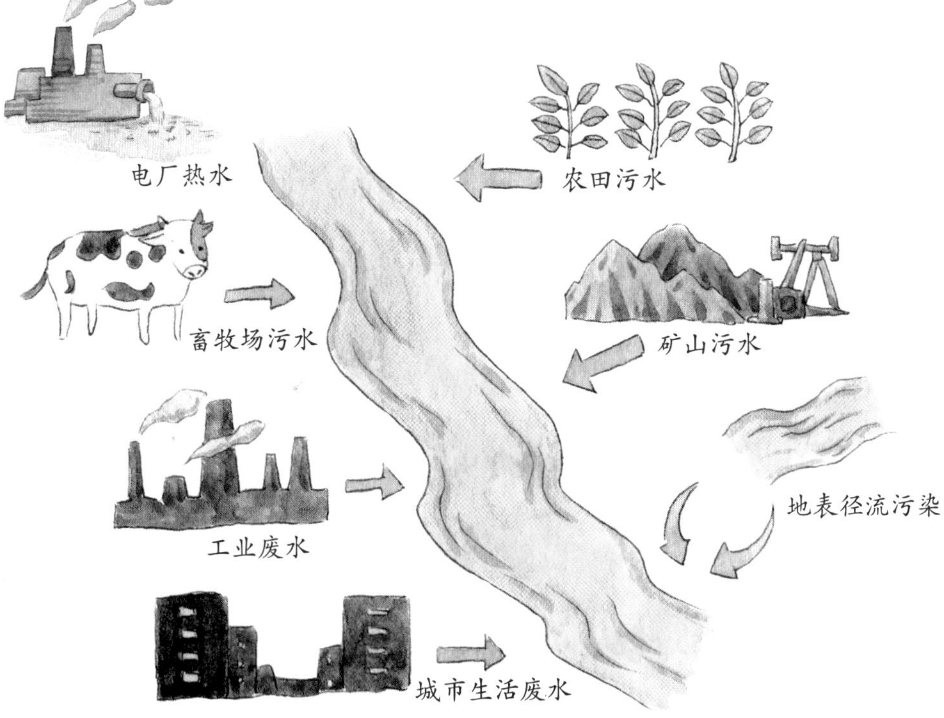

『如何保护水资源』

水，是大自然送给我们的礼物。只有每个人都从自己做起，节约用水，保护水资源，我们才能拥有一个绿树成荫、鸟语花香、河水清清、鱼儿欢畅的美好生活环境。

思考

一个水龙头滴水，15 分钟就滴水 200 毫升，每天滴出 20 升水，一年会浪费多少吨水？

一水多用

随手关紧水龙头

使用节水型生活器具

做清理河湖志愿者

4月的节日

4月2日 国际儿童图书日

4月5日 清明（这日前后）

4月7日 世界卫生日

4月20日 谷雨（这日前后）

4月22日 世界地球日／世界法律日

4月23日 世界图书和版权日

4月24日 中国航天日

4月26日 世界知识产权日

4月

四月让人一见倾心，四月可以入诗入画。淅淅沥沥的春雨随风飘下，轻轻柔柔又洋洋洒洒。你瞧，细雨敲打着不远处房屋的屋檐，农民伯伯正在翠绿的田野间忙碌。孩子们正撑着伞在雨中嬉戏呢。走到凉亭中缓缓坐下，饮下一口新鲜的春茶，不禁沉醉在这四月的春风里。

关于 4 月

4 月是北半球春季的第三个月，公历年中的第四个月，是全年第一个小月，共有 30 天。4 月有清明和谷雨两个节气。这时候，气温日渐升高，降水量逐渐增多，是万物生长、春耕播种的好时机。春风轻灵、春光明媚、春色多变正是 4 月的季候特征。4 月的大自然春色盎然，枝条吐绿，鲜花绽放，田野间满是动人的景象，外出踏春、赏春正当时。

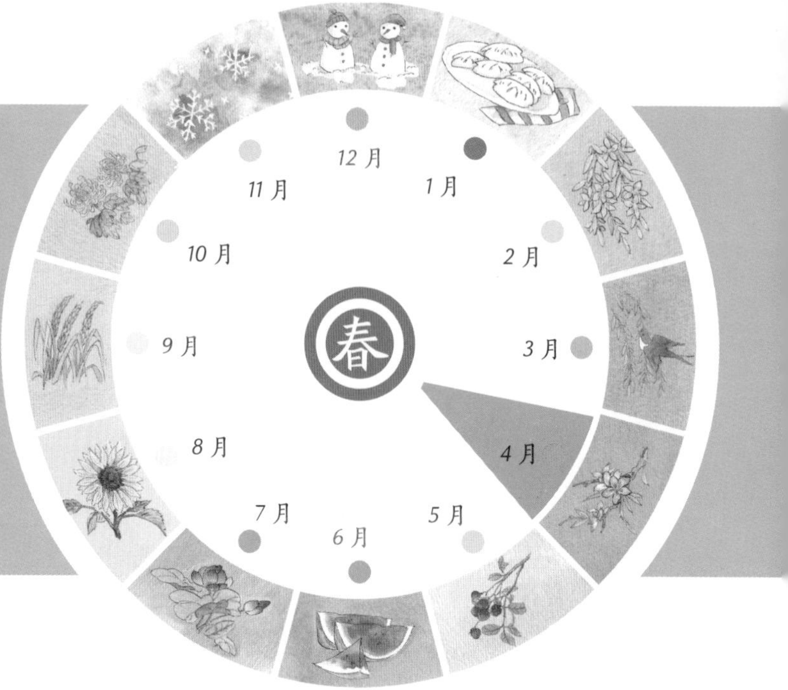

『地球公转与气候变化』

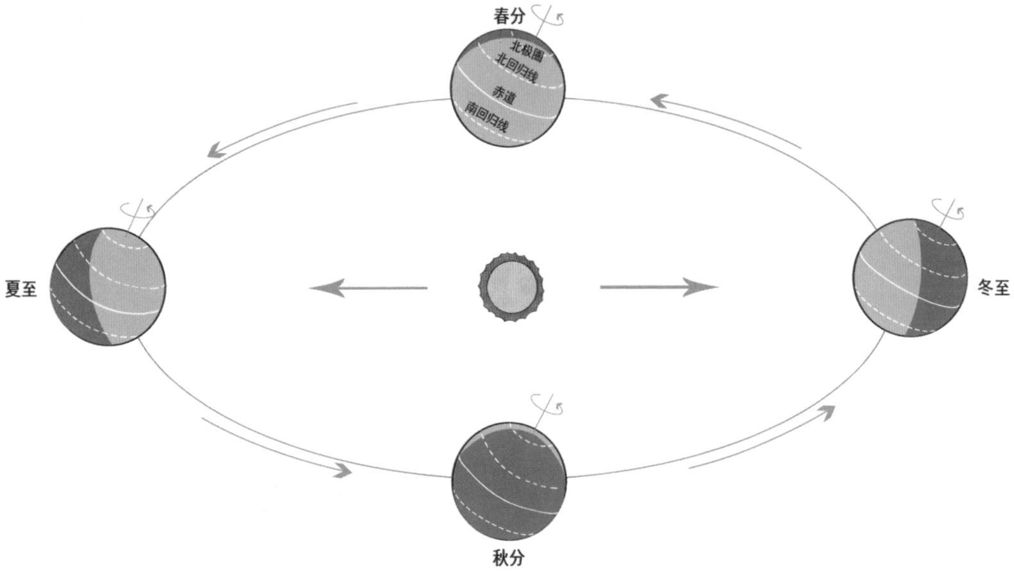

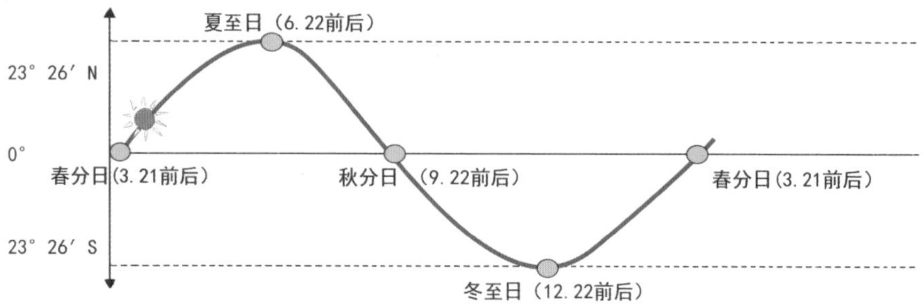

4 月是春季的最后一个月。清明节气，太阳运行到黄经 15°，气温上升，降水较多，正好种树、种庄稼。到了谷雨节气，太阳则运行到黄经 30°，此时寒潮天气基本结束，气温回暖进一步加快，正是适合谷物生长的好时节。

『诗词赏析』

暖春时分，万物吐故纳新，空气也变得格外清新。

这时候的春天是什么样子？

请看唐代诗人杜牧在一首诗中的描写吧。

清明

清明时节雨纷纷，
路上行人欲断魂。
借问酒家何处有，
牧童遥指杏花村。

在这如诗如画的清明时节，到处春雨纷飞，似乎总也没有一个完。清明时节的雨水呀，连绵绵的，细蒙蒙的，简直就像一个会变戏法的魔术师。这样的雨洒在漫长的泥路上，把脚下的泥土和心儿都搅拌得软软的，不知道是什么滋味。

行路的人累了，行路的人惆怅了，得找一个地方好好歇一会儿了。

喂，路边的放牛娃，请你告诉我，哪儿有卖酒的地方，得好好喝一杯，暖一暖身子呀。

牧童听后笑而不答，静静指向杏花山村。

『谚语』

清明前后，种瓜点豆

清明时，气温升高，降雨增多，在这时播种瓜类和豆类等庄稼，收成会很好。

谷雨过三天，园里看牡丹

谷雨前后，正值牡丹花竞相开放，姹紫嫣红，分外好看。因此牡丹花也叫“谷雨花”，素有“花中之王”的美称。

清明一尺笋，谷雨一丈竹

春天里，竹笋破土而出，尽情地吸取阳光雨露，一日日茁壮成长。不到一年，它们就能长成竹林。

植物笔记

『蘑菇』

嘘，听说森林里发生了新鲜事。瞧，一个个戴着帽子的“小矮人”悄悄从地里冒出来了。那是蘑菇，一种广泛种植的食用菌。春天是采蘑菇的季节，各种各样好看又好吃的蘑菇一下子就装满了篮子。香菇、金针菇、茶树菇，还有猴头菌、牛肝菌等都是常见的菌种。但是，部分品种的蘑菇含有有毒物质，所以在野外看见蘑菇时，不要随意采摘食用哦。

学　　名：双孢蘑菇
分　　类：担子菌亚门，蘑菇科
生活方式：腐生、寄生
栽 培 期：一般在秋、冬、春为宜

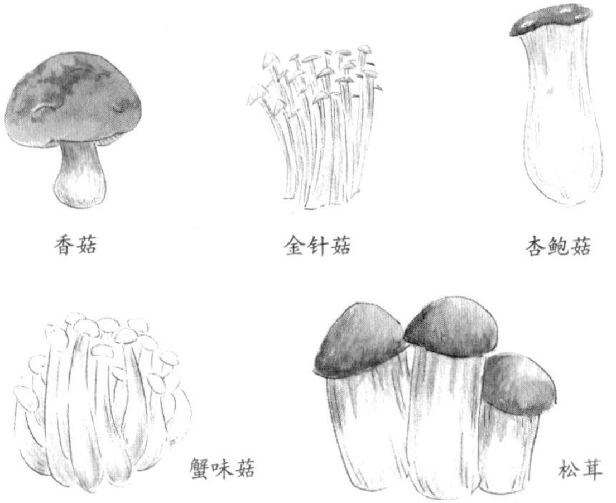

『茶』

茶源于中国，茶树在我国有6000多年的种植历史，是一种古老的作物。春季温度适中，降水充足，使得茶树叶片肥硕，色泽翠绿，香气宜人。茶树鲜嫩的叶芽，经过加工干燥等工序，便形成了让人齿颊留香的茶叶。用一壶沸腾的热水冲泡新鲜的春茶，尽情品尝春天的芬芳吧。

1. 采茶

别　　名：茗
分　　类：山茶科。常绿灌木
分布区域：主要分布在热带和亚热带地区
应用价值：用于制作饮料和药用

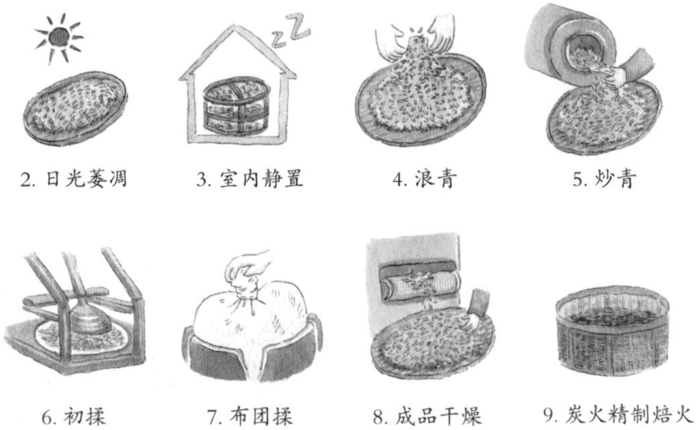

茶叶制作过程

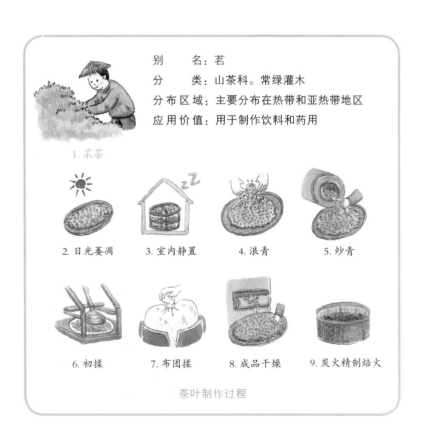

动物笔记

『布谷』

布谷、布谷……布谷鸟扇着翅膀飞过来又飞过去，低低地掠过田野，一声声“布谷、布谷”地叫着。布谷鸟喜爱生活在开阔的林地，特别是有水源的地方，它们最擅长发出欢快的叫声。布谷鸟是春天的使者，提醒着人们春天来了，要赶快开始春耕播种。它们还能捕捉害虫，给农民伯伯帮忙呢！

亦　　称：四声杜鹃
分　　类：鸟纲，杜鹃科
体　　长：一般在 30 ~ 33 厘米
繁 殖 期：一般在 5-7 月

『蝶』

菜园里、花圃中，成群的蝴蝶像从空中撒下的五颜六色的纸片，随风飞舞。你瞧，那蝴蝶像不像倒挂在树上的一片树叶？可等伸手去摘那片叶子，它却一转身飞走了。原来那就是著名的枯叶蛱蝶。蝴蝶的种类很多，一般色彩也很丰富。它们大大的翅膀上有一层薄薄的鳞片。这种鳞片不仅能使蝴蝶翅膀的颜色鲜艳多彩，还能像雨衣一样保护着它们呢。

亦　　称：蝴蝶
分　　类：昆虫纲，鳞翅目，锤角亚目
分布区域：主要分布在美洲、亚洲
物种现状：种类甚多，约有 14000 种，中国约有 1300 种

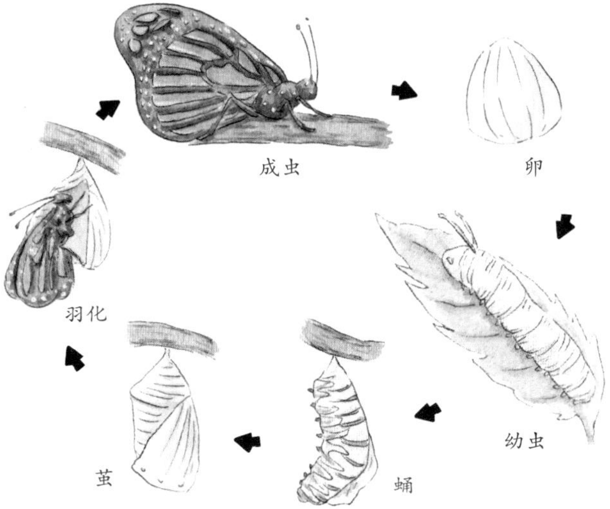

天气 · 习俗 · 节日

倒春寒

倒春寒说的是初春时气温回升速度快，到了春季后期却突然变为持续低温天气的特殊天气现象。人们说，春季的天气是孩子的脸，常常说变就变，经常在白天时还是阳光和煦，夜晚就变得春寒料峭。这时要注意防寒保暖，以免生病，老人说的“春捂”就是这个道理。

吃青团

青团是江南一带的传统特色小吃。勤劳聪明的江南人，在万物复苏的春色里寻得鲜嫩的艾草，并将它们成团拔下，把艾草的汁与糯米粉搅拌做成皮，再包裹豆沙或莲蓉做馅，早期的青团就这样做成了。江南人把春天第一次吃青团叫作“尝春”，一口咬下去，在软糯香甜的味道里，尝到了南方春天的气息。

清明节

清明节是中华民族古老的节日，已有2500多年的历史。清明不仅是自然节气，也是人们祭奠逝者、缅怀先烈的重要祭祀节日。这时候的自然界到处呈现一派生机勃勃的景象，正是远足踏青、亲近自然的好时机。中国民间一直保持着清明踏青远游的习俗。

漫画故事会

『割股充饥的故事』

1 相传春秋时期，晋公子重耳为了躲避祸害而流亡出走。有一次，他因为饥饿晕了过去，随臣介子推为了救他，割下了自己腿上的肉，用火烤熟送给重耳吃。

2 后来重耳做了国君，也就是历史上的晋文公。他即位后，曾经陪他逃亡的大臣们纷纷邀功请赏。介子推却不愿争功，便背着老母亲隐居起来。晋文公想请介子推出山，有人便建议放火烧山，以逼介子推自己走出来。

3 大火烧了三天才熄灭，最后人们在一棵烧焦的柳树下发现了介子推母子的尸体。在遗体旁边的树洞中，人们找到了介子推写下的诗句：“割肉奉君尽丹心，但愿主公常清明。”

4 为了纪念介子推，晋文公下令介子推死难之日人们不得生火做饭，要吃冷食，由此形成了寒食节。寒食节是清明节的前一天。后来，扫墓祭祖的风气日盛，人们常常将扫墓的时间从寒食节延至清明节，两个节日逐渐融为一体，成了今天所说的清明节。

环保行动派

『世界地球日』

世界地球日是一个为了保护地球生态环境而设立的节日，时间设定在每年的 4 月 22 日，目的是号召人们用绿色低碳的方式生活，保护和改善地球的整体环境。随着人类活动的不断加剧，威胁人类的环境问题日趋严重，地球生态环境的保护成为一个越来越重要的话题。地球是人类共同的家园，人类只有一个地球，让我们行动起来，创造更加美好的世界。

『持久的化学战争——酸雨』

酸雨指的是酸性的雨，是 pH 值小于 5.6 的大气降水。火山爆发等自然因素以及人类活动的影响都可能会带来酸雨。酸雨主要是人为向大气中排放大量酸性物质所造成的。人类在生活中燃烧化石燃料产生的二氧化硫、工业生产产生的废气，以及不断排放的汽车尾气，都可能增加大气中硫氧化物和氮氧化物的排放，导致酸雨的产生。

『酸雨的危害』

酸雨对地球的生态环境和人类的生存都会造成很大的危害。酸雨落在地表，会使地表水酸化，使得水中生物死亡，还会影响植物的生存，导致森林土壤退化，破坏森林生态平衡。酸雨对金属和地表建筑还会起到腐蚀作用，影响城市市容。酸雨渗入地下水后，还会污染饮用水源，威胁人类的健康。

pH 值示意图

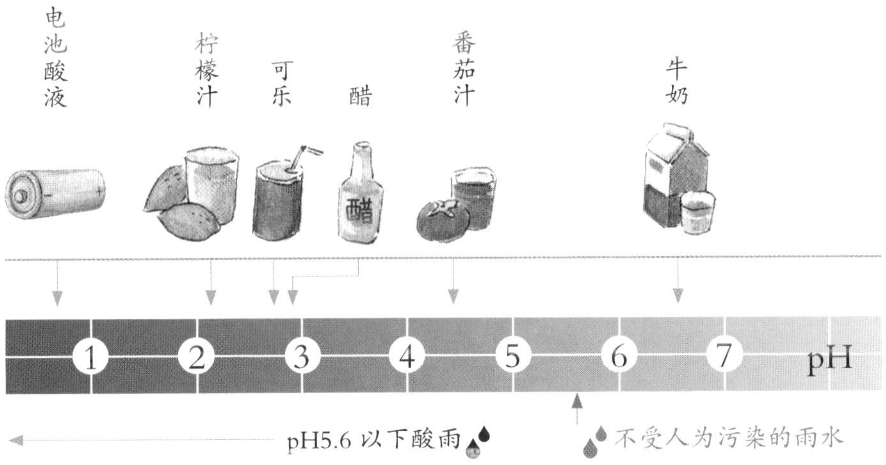

『让我们一起保护地球』

我们是地球的小主人，也是保护地球的小卫士。让我们从身边的小事做起，共同保护地球母亲。

尽量乘坐公共交通工具出行

爱护环境，保护树木，多种树

多使用太阳能等清洁能源

节约用水、用电，珍惜地球资源

植物检索

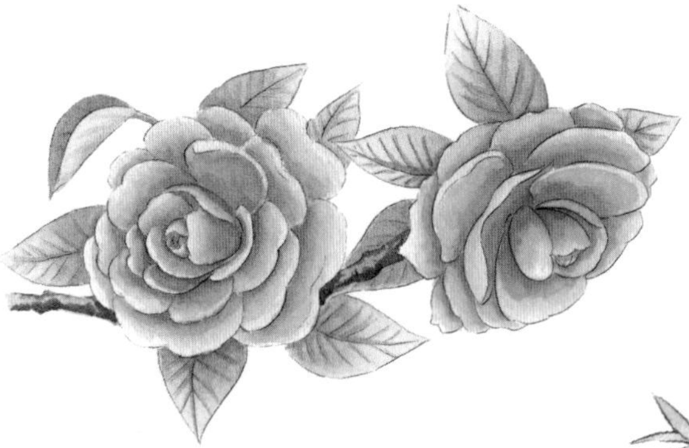

山茶（2月）

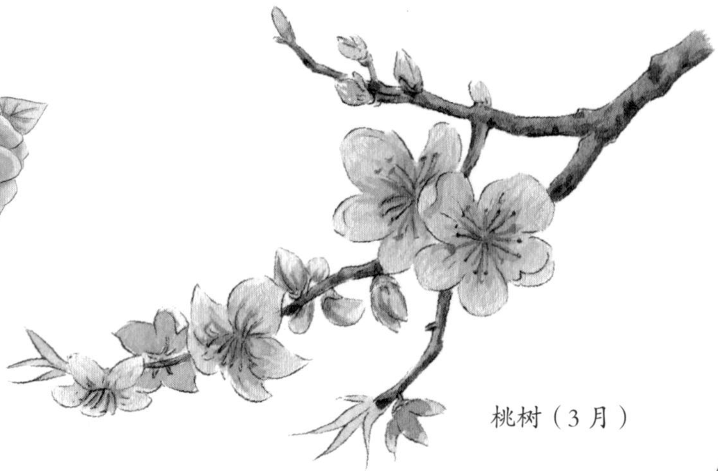

桃树（3月）

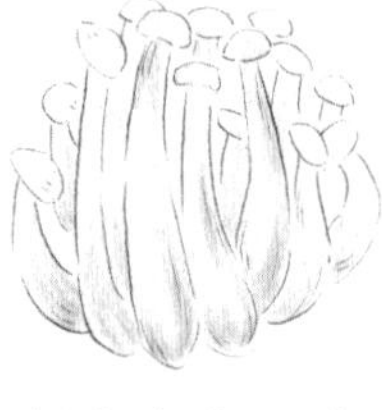

蟹味菇（4月）

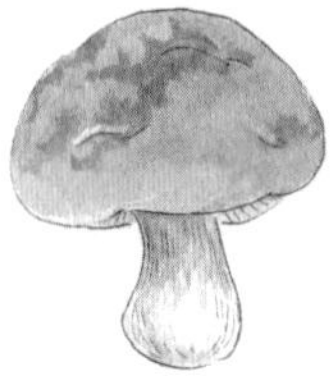

香菇（4月）

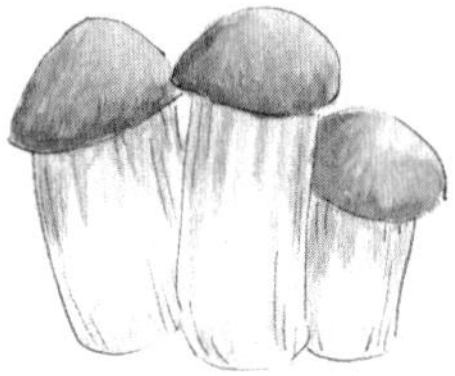

松茸（4月）

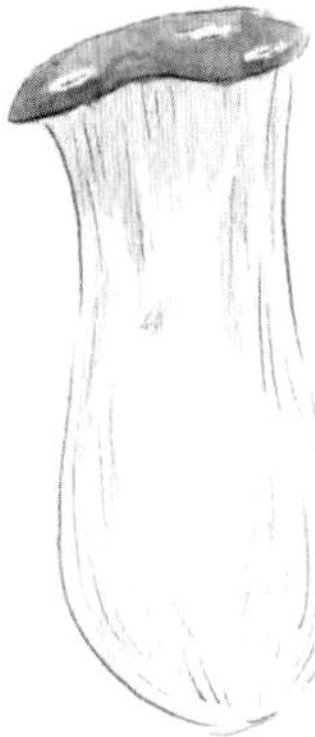

杏鲍菇（4月）

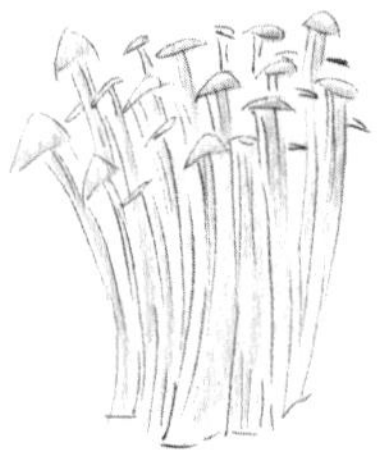

金针菇（4月）

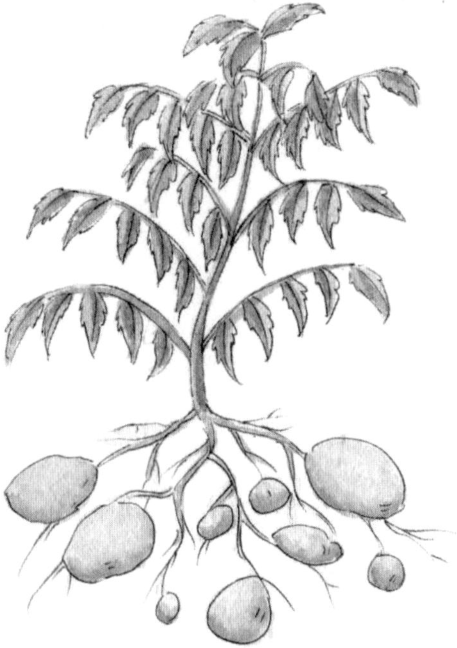

马铃薯（2月）

油菜（3月）

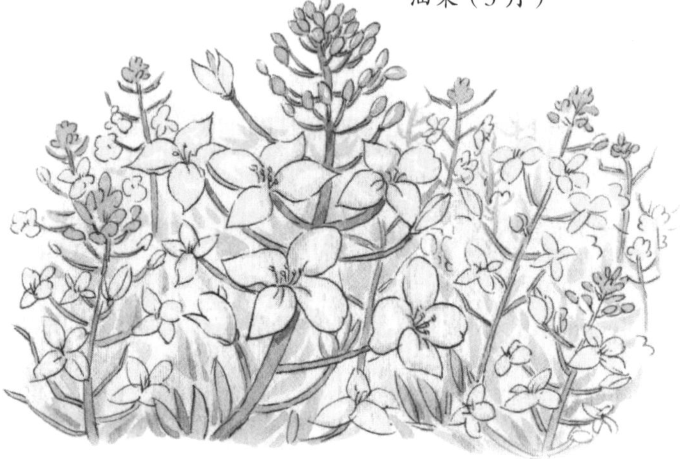

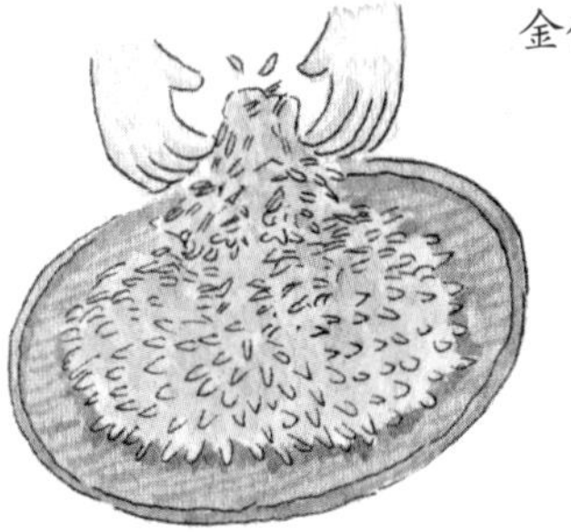

茶（4月）

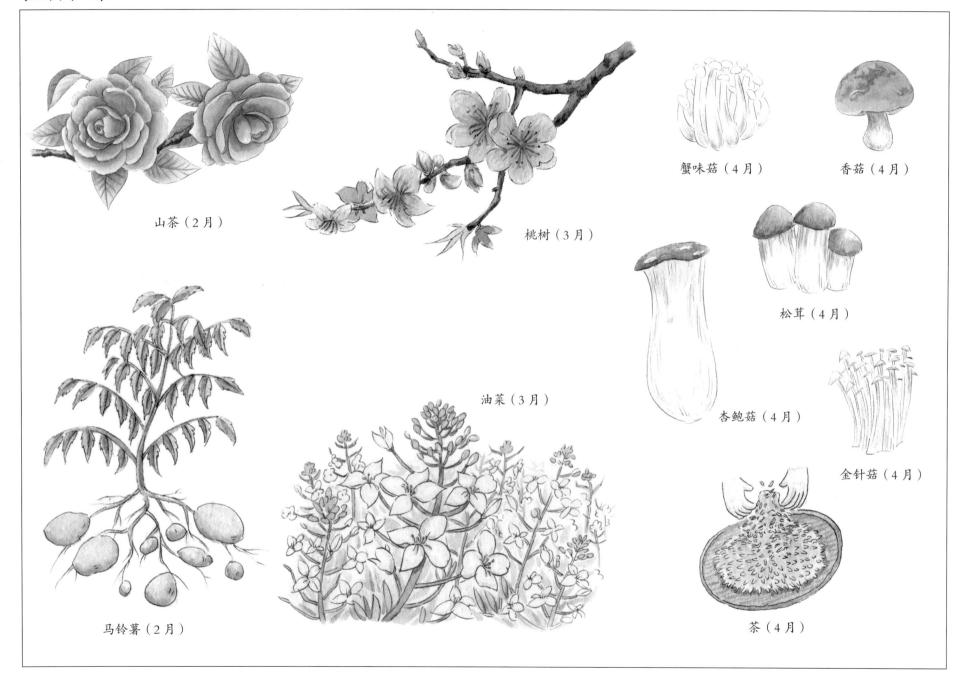

动物检索

燕子（2月）

黄鹂（3月）

布谷（4月）

安哥拉兔（2月）

西施兔（2月）

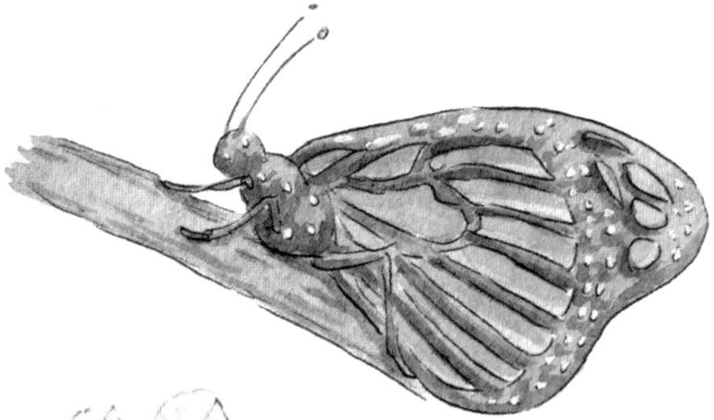

蝶（4月）

英国垂耳兔（2月）

蝴蝶兔（2月）

蜜蜂（3月）

春天的秘密花园

春天来了，一起踏进秘密花园吧！

（涂一涂，涂出春天的秘密花园。）

晒一晒你所关注到的春天